Recettes de Camille Le Foll

Crêpes, pancakes, blinis…

Photographies d'Akiko Ida

• MARABOUT CÔTÉ CUISINE •

sommaire

Sucré

Trucs et astuces

Bien graisser la poêle

C'est un des secrets de la réussite des crêpes et il y a plusieurs moyens d'y parvenir de façon idéale :
• la première consiste à piquer au bout d'une fourchette un morceau de pomme de terre que l'on trempe dans de l'huile, du beurre fondu ou un mélange des deux ;
• la seconde, plus traditionnelle et donnant un goût plus rustique, s'effectue au moyen d'un morceau de lard gras piqué sur la pointe d'un couteau ;
• enfin, on peut tout simplement essuyer la poêle entre chaque crêpe avec un petit tampon de tissu imprégné de matière grasse mais les doigts, à proximité de la chaleur, risquent de souffrir davantage.

Faire des crêpes bien fines

Le bon truc c'est d'utiliser une pâte bien fluide qui ne "colle" pas, d'en verser une louche dans la poêle, d'en enduire toute la surface et d'en rejeter l'excédent dans la terrine de pâte crue.

Parfumer la pâte

Différents parfums font merveille dans la pâte à crêpes, tels que :

• la vanille, sous forme d'essence, de poudre, de sucre aromatisé ou plus luxueusement en gousse dont on gratte les petits grains contenus à l'intérieur ;

• la classique fleur d'oranger dont on peut renforcer encore l'arôme avec des zestes fins de citron, d'orange, voire de mandarine ;

• toutes sortes de liqueurs et d'alcools qui peuvent servir, en outre, à flamber les crêpes.

De bons ustensiles

• La galetière en fonte pour la couleur locale, exige néanmoins un bon culottage, une musculature à l'avenant et un sérieux tour de main.

• Les poêles anti-adhésives sont vivement conseillées aux débutants.

• Le râteau en bois pour répartir la pâte uniformément sur la galetière.

• La spatule en bois, indispensable pour plier et retourner crêpes, galettes, blinis, etc.

• Le cercle à flan (en vente dans les magasins pour professionnels) est utile pour mouler la pâte des crumpets, il doit être en métal assez lourd pour adhérer parfaitement à la poêle.

Que boire avec ?

On ne saurait déguster des galettes de froment autrement qu'avec du cidre, brut ou doux selon les goûts. Celles de blé noir se satisferont bien du goût plus neutre du gros lait ou du lait ribot, sorte de lait fermenté apparenté au yaourt à boire.

En ce qui concerne les blinis, on les accompagne le plus souvent de vodka frappée et pour ce qui est des pancakes, toutes les fantaisies sont permises mais disons qu'ils font surtout bon ménage avec les boissons chaudes.

Basiques

Galettes de blé noir

Pour 20 galettes environ
500 g de farine de sarrasin
2 œufs
1 c. à café de sel
eau

Battez les œufs en omelette avec 2 verres d'eau. Versez la farine et le sel dans une terrine et creusez-y un puits. Incorporez petit à petit le mélange eau-œufs en remuant bien. Complétez avec autant d'eau que nécessaire jusqu'à l'obtention d'une pâte fluide et souple.

Laissez reposer pendant au moins 1 h pour que le blé noir acquière l'épaisseur et la texture adéquates et rallongez avec un peu d'eau si nécessaire.

Faites chauffer une galetière (poêle spéciale en fonte) graissée et versez-y une petite quantité de pâte. Étalez-la très rapidement avec une petite raclette en bois spéciale et laissez cuire jusqu'à ce que la pâte soit figée et se décolle nettement sur le pourtour. Retournez la galette avec une spatule et faites-la cuire 1 min de l'autre côté.

Dégustez sans attendre.

Crêpes de froment

Pour 20 crêpes environ
250 g de farine
3 œufs
50 cl de lait
50 g de beurre
25 g de sucre
1/2 c. à café de sel

Dans une terrine, mélangez la farine, le sel et le sucre. Creusez
un puits au centre. Cassez les œufs dans un grand bol et battez-les
en omelette en incorporant un verre de lait. Versez cette préparation
dans la farine et travaillez-la vigoureusement au fouet jusqu'à
l'obtention d'une pâte lisse et sans grumeaux. Faites fondre le beurre.
Ajoutez progressivement le reste de lait et le beurre fondu.

Laissez reposer pendant au moins 1 h.

La cuisson des crêpes s'effectue comme celle des galettes.

Blinis

Pour 12 blinis environ

250 g de farine

1 sachet de levure de boulanger déshydratée
ou 7 g de levure fraîche

60 cl de lait environ

3 œufs

10 cl de crème fleurette

beurre pour la cuisson

sel

Faites gonfler la levure dans 10 cl de lait tiède pendant 10 min.

Versez la farine et le sel dans une terrine et creusez-y un puits.
Avec une fourchette, fouettez légèrement les jaunes (réservez les blancs)
avec la levure puis versez au centre de la terrine. Mélangez en ajoutant
petit à petit le reste de lait et la crème fleurette tiédis.

Laissez lever 1 h dans un endroit chaud, à l'abri des courants d'air.

Montez les blancs en neige assez souples et incorporez-les
délicatement à la préparation, qui doit être légère et présenter
de petites bulles à la surface.

Laissez lever à nouveau 20 min.

Faites fondre dans une poêle de petit diamètre un peu de beurre et
versez-y une louche de pâte sur 2 cm d'épaisseur environ. Laissez cuire
à feu doux. Lorsque la surface du blinis est sèche, retournez-le à l'aide
d'une spatule et poursuivez la cuisson de l'autre côté.

Faites cuire les autres blinis de la même façon jusqu'à épuisement
de la pâte en les gardant au chaud au fur et à mesure dans le four
à 80 °C, enveloppés de papier aluminium.

Pancakes

Pour 12 pancakes environ

250 g de farine
2 c. à café de levure chimique
1 c. à soupe de sucre
30 g de beurre fondu (2 c. à soupe)
10 cl de crème fleurette
40 cl de lait
1 œuf + 2 blancs
1/2 c. à café de sel
beurre pour la cuisson

Dans une terrine, mélangez la farine, la levure, le sel et le sucre.
Dans un autre récipient, fouettez vivement l'œuf avec la crème,
le beurre fondu et le lait.
Réunissez le contenu de ces deux récipients et fouettez pour obtenir
une pâte homogène.

Montez les blancs en neige assez souples et incorporez-les à la pâte.

Laissez reposer pendant 1 h à température ambiante.

Faites fondre un peu de beurre dans une petite poêle et versez-y
une petite louche de pâte. Laissez cuire le pancake à feu modéré et,
dès que de petites bulles apparaissent à la surface, retournez-le avec
une spatule. Poursuivez la cuisson jusqu'à ce que la pâte n'attache
plus en dessous, signe qu'elle est cuite.

Servez chaud avec du sirop d'érable ou de maïs.

Muffins

Pour 6 à 8 muffins

500 g de farine
1 c. à café de sel
1 sachet de levure de boulanger déshydratée
1 c. à café de sucre en poudre
20 cl d'eau
20 cl de lait
50 g de semoule très fine

Faites gonfler la levure déshydratée dans la moitié de l'eau tiède.

Dans une terrine, mélangez la farine, le sel et le sucre et creusez-y
un puits. Versez au centre la levure délayée, le lait et le reste d'eau tiédis.
Pétrissez cette pâte jusqu'à ce qu'elle soit souple et élastique (en vous
aidant au besoin d'un robot muni de pales pétrisseuses) et jusqu'à
ce que tout le liquide soit absorbé.

Couvrez avec un linge et laissez gonfler dans un endroit chaud pendant 1 h.

Rompez la pâte à nouveau pendant 5 min et laissez reposer pendant
30 min. Partagez la pâte en 8 boulettes et roulez-les sur une plaque
de cuisson dans de la semoule très fine. Placez par-dessus un torchon
et laissez lever encore 30 min dans un endroit chaud.

Faites chauffer à feu doux une poêle en fonte non graissée et disposez-y
4 muffins (côté haut lors de la dernière levée), en contact direct avec
la chaleur de la poêle (c'est-à-dire en les retournant). Laissez-les cuire
6 min de chaque côté et tenez-les au chaud en attendant la cuisson
de la tournée suivante.

Servez avec du beurre et de la confiture.

et aussi…

Pikelets

**250 g de farine • 25 cl d'eau • 20 cl de lait • 1/2 c. à café de levure chimique •
7 g de levure de boulanger ou 1/2 sachet de levure déshydratée •
1 c. à soupe de sucre • 70 g de raisins secs • 1 pincée de sel**

15 min de préparation • 35 min de temps de repos • 4 min de cuisson

Diluez la levure de boulanger dans l'eau tiède. Laissez gonfler pendant 10 min.
Mettez la farine, la levure chimique, le sel et le sucre dans une terrine. Versez la levure
délayée et pétrissez pendant 2 min jusqu'à l'obtention d'une pâte élastique.

Couvrez et laissez lever pendant 20 min. Incorporez délicatement le lait et les raisins secs
dans la pâte. Laissez lever à nouveau 15 min.

Faites chauffer une poêle en fonte ou à revêtement anti-adhésif, graissez-la et, lorsqu'elle
est bien chaude, versez une petite quantité de pâte qui doit bientôt laisser affleurer des
bulles. Dès que la surface du pikelet est prise, retournez-le et laissez-le cuire encore 1 min.
Procédez ainsi jusqu'à épuisement de la pâte.

Servez les pikelets bien chauds avec du beurre, du miel ou du sirop d'érable.

Crumpets

**250 g de farine • 30 cl d'eau • 10 cl de lait • 1/2 c. à café de levure chimique •
7 g de levure de boulanger • ou 1/2 sachet de levure • déshydratée • 1 c. à café de sel**

15 min de préparation • 20 min de temps de repos • 5 à 10 min de cuisson

Diluez la levure de boulanger dans l'eau tiède. Laissez gonfler pendant 10 min.

Mettez la farine dans une terrine avec la levure chimique. Versez la levure délayée et pétrissez
pendant 2 min jusqu'à l'obtention d'une pâte élastique.

Faites chauffer une poêle en fonte ou à revêtement anti-adhésif et, lorsqu'elle est bien chaude,
déposez-y un cercle à flan huilé. Versez à l'intérieur une petite quantité de pâte jusqu'à 1/2 cm
du bord. La surface du crumpet doit se couvrir de bulles. S'il n'y en a pas, allongez la pâte ;
si au contraire, elle s'écoule sous le cercle, rajoutez de la farine. Dès que la surface
du crumpet est prise, ôtez le cercle avec un torchon et retournez-le. Laissez-le cuire encore
3 min. Procédez ainsi jusqu'à épuisement de la pâte, en faisant cuire 2 ou 3 crumpets
à la fois, suivant la taille de la poêle.

Servez les crumpets bien chauds avec du beurre et du miel ou du fromage en version salée.

Salé

Galette complète

Par personne

**1 galette de blé noir
(voir recette de base p. 6)**

1 œuf extra-frais

**1 fine tranche de jambon
cuit**

**30 g de fromage râpé
(emmenthal ou comté)**

20 g de beurre salé

fleur de sel, poivre

Confectionnez la galette en vous reportant à la recette de base.

Une fois retournée et cuite des deux côtés, beurrez-la généreusement, disposez la tranche de jambon au centre, parsemez d'emmenthal râpé, puis cassez l'œuf en dernier, en essayant de ne pas briser le jaune. Salez et poivrez celui-ci.

Lorsque le blanc est laiteux et le fromage fondu, repliez chaque bord de la galette vers le centre, de façon à ce que seul le jaune apparaisse.

Parsemez de noisettes de beurre et servez aussitôt.

Variante

On peut remplacer le jambon par de l'andouille de Guéméné ou du lard paysan dégraissé.

Galette cévenole

Par personne

**1 galette de blé noir
(voir recette de base p. 6)**

**1 morceau de 8 cm environ
de bûche de chèvre plutôt
tendre**

**1 c. à café bien pleine de
miel de châtaignier**

**5 noix concassées
grossièrement**

15 g de beurre

Enduisez la poêle de pâte et faites cuire la galette. Retournez-la lorsqu'elle est cuite, tout en glissant un morceau de beurre dans la poêle afin de bien beurrer la galette.

Découpez le chèvre en 4 ou 5 tranches, répartissez les noix et laissez fondre 2 à 3 min.

Repliez la galette en triangle, ajoutez le miel et faites caraméliser.

Servez aussitôt.

Crapiaux du Morvan

Pour 6 crapiaux
350 g de farine
4 gros œufs
300 g de lard demi-sel en tranches fines
40 cl de lait
sel

Dans une terrine, versez la farine et une pincée de sel. Incorporez les œufs un à un puis le lait (la quantité est donnée approximativement : la pâte doit être coulante, mais néanmoins épaisse, comme une pâte à clafoutis).

Ôtez la couenne du lard et coupez-le en lanières.

Dans une poêle, faites fondre 1/6 du lard. Dès qu'il y a suffisamment de graisse fondue au fond, versez une bonne louche de pâte et laissez cuire jusqu'à ce qu'elle soit prise. Retournez avec une spatule et laissez cuire pendant encore 3 min.

Procédez de la même façon pour les autres crapiaux en les tenant au chaud au fur et à mesure, dans un four à 120 °C.

À savoir

Il est plus commode de se servir de deux poêles en même temps.

Cette spécialité bourguignonne, faisant autrefois office de pain, accompagne agréablement une soupe.

Ficelles picardes

Pour 6 personnes

Pâte à crêpes salée

200 g de farine
2 œufs entiers
20 cl de lait
20 cl d'eau ou de bière
40 g de beurre fondu
1/2 c. à café de sel

Garniture

10 tranches fines
de jambon cuit
250 g de champignons
de Paris
80 g de beurre
30 g de farine
30 cl de lait
2 c. à soupe de crème
fraîche
100 g de gruyère râpé
noix de muscade
sel, poivre

Confection de la pâte à crêpes

Faites fondre le beurre dans une petite casserole.

Battez les œufs en omelette dans un bol et ajoutez le lait.

Mettez la farine et le sel dans une terrine et creusez un puits
au centre. Versez les œufs et le lait et mélangez au fouet
pour amalgamer soigneusement les ingrédients. Allongez la pâte
avec le reste de liquide (eau ou bière) et ajoutez le beurre fondu.
Laissez reposer la pâte 1 h.

Si, après avoir reposé, la pâte a épaissi, rallongez-la
avec un peu de lait. Elle est alors prête à être cuite.
Avec la pâte, confectionnez 10 crêpes pas trop fines.

Préparation de la garniture

Épluchez les champignons et émincez-les. Faites-les revenir
dans 20 g de beurre. Assaisonnez de sel, de poivre et de noix
de muscade.

Confectionnez une sauce béchamel : faites fondre 30 g de beurre
dans une petite casserole ; ajoutez la farine et mélangez
intimement. Laissez cuire à feu doux 1 à 2 min et versez le lait
d'un seul coup. Fouettez pour que le mélange farine-beurre
se dissolve et continuez jusqu'à ce qu'il épaississe et forme
une sauce homogène. Incorporez les champignons et laissez
cuire encore 1 min. Hors du feu, ajoutez la crème fraîche
et le gruyère râpé. Assaisonnez de sel et poivre.

Préchauffez le four à 180 °C (th. 6). Recouvrez chaque crêpe
d'une tranche de jambon et d'une couche de sauce
aux champignons et enroulez-les sur elles-mêmes.
Disposez-les bien serrées dans un plat beurré et parsemez
du beurre restant. Enfournez 20 min jusqu'à ce qu'elles soient
dorées.

Crêpes Panarea

Pour 6 personnes
**6 crêpes salées
(voir recette de base p. 18)**

500 g de ricotta

**250 g de mozzarella
(2 boules)**

100 g de parmesan râpé

6 tomates

**15 feuilles de basilic
environ**

2 c. à soupe d'huile d'olive

sel, poivre

Pelez, épépinez les tomates et concassez-les grossièrement. Salez et poivrez.

Coupez la mozzarella en petits dés et mélangez-les à la ricotta et aux feuilles de basilic ciselé.

Étalez ce mélange sur les crêpes et enroulez-les sur elles-mêmes sans trop serrer. Coupez-les en tronçons.

Préchauffez le four à 180 °C (th. 6).

Huilez un plat à gratin et disposez-y les rouleaux. Nappez avec les tomates et le reste d'huile et saupoudrez de parmesan râpé.

Mettez dans le four chaud et faites gratiner pendant 30 min environ jusqu'à ce que le dessus soit bien doré.

Crêpes fourrées aux fruits de mer

Pour 6 personnes

**6 crêpes salées
(voir recette de base, p. 16)**

1 l de coques

1 l de moules

**12 noix de Saint-Jacques
avec leur corail**

70 g de beurre

25 g de farine

8 échalotes

**25 cl de crème fraîche
épaisse**

10 cl de vin blanc sec

**quelques brins de
ciboulette et de persil**

sel, poivre

Lavez et grattez les moules.

Faites tremper les coques et rincez-les.

Épluchez les échalotes et ciselez-les.

Dans une large sauteuse, faites fondre la moitié des échalotes
dans 20 g de beurre. Ajoutez les coquillages et le persil puis couvrez.
Secouez la sauteuse de temps à autre pour assurer aux coquillages
une cuisson homogène. Lorsque toutes les coquilles sont ouvertes,
ôtez-les et filtrez le jus de cuisson au travers d'une passoire fine.
Réservez les moules et les coques.

Faites fondre 25 g de beurre dans une poêle et faites-y blondir
le reste d'échalotes.

Ajoutez les coquilles Saint-Jacques coupées en 3 ou 4 morceaux
et saisissez-les rapidement à feu vif 1 min de chaque côté.
Salez et poivrez. Réservez.

Faites fondre le reste de beurre, ajoutez la farine et laissez cuire
quelques minutes : le mélange doit être mousseux. Versez d'un coup
le jus filtré des coquillages puis la crème fraîche. Continuez à fouetter
pour obtenir une sauce lisse. Rectifiez l'assaisonnement en sel et
poivre, ajoutez la ciboulette finement ciselée et réchauffez rapidement
les coquillages dans la sauce.

Réchauffez les crêpes, soit dans une poêle avec un peu de beurre,
soit à la vapeur dans une assiette placée au-dessus d'une casserole
d'eau bouillante, puis fourrez-les de la crème aux fruits de mer.

Servez aussitôt.

Blinis de châtaignes aux œufs de saumon

Pour 4 personnes

**250 g de farine
de châtaignes**

20 cl de lait

20 cl de crème fleurette

4 œufs

**7 g de levure de boulanger
ou 1/2 sachet de levure
déshydratée**

sel

Pour servir

crème fraîche épaisse

œufs de saumon à volonté

Faites gonfler la levure de boulanger dans un peu de lait tiède puis ajoutez le reste de lait. Incorporez petit à petit la farine de châtaignes en alternant chaque ajout avec un jaune d'œuf. Lorsque toute la farine et les jaunes sont amalgamés à la pâte, ajoutez la crème fleurette et un peu de sel.

Couvrez la pâte avec un torchon et la laisser reposer dans un endroit tiède pendant 2 h.

Battez les 4 blancs en neige pas trop ferme pour qu'ils s'incorporent sans grumeaux à la pâte un peu liquide. Mélangez-les à la préparation, qui doit être légère et présenter de petites bulles à la surface.

Faites fondre un peu de beurre dans une poêle de petit diamètre et versez-y une louche de pâte sur 2 cm d'épaisseur environ. Laissez cuire à feu doux. Lorsque la surface du blinis est sèche, retournez-le à l'aide d'une spatule et poursuivez la cuisson de l'autre côté.

Faites cuire les autres blinis de la même façon, jusqu'à épuisement de la pâte, en les maintenant dans le four à 80 °C, enveloppés de papier aluminium.

Servez les blinis avec de la crème épaisse et des œufs de saumon.

Blinis de pommes de terre aux champignons

Pour 6 personnes

500 g de pommes de terre à chair farineuse (Bintje ou BF15)

125 g de farine

1/2 sachet de levure de boulanger déshydratée

500 g de champignons des bois très sains (cèpes, girolles, chanterelles, etc.)

1 c. à soupe d'huile

Pour servir

beurre fondu

1 branche de persil plat

quelques brins de cerfeuil

Préparation de la pâte

Faites cuire les pommes de terre coupées en gros morceaux dans de l'eau bouillante salée jusqu'à ce qu'une pointe de couteau les transperce sans résistance. Égouttez-les au maximum en secouant la passoire plusieurs fois de suite. Laissez refroidir.

Faites gonfler la levure dans 30 cl d'eau tiède.

Dans une terrine, écrasez la pulpe des pommes de terre. Incorporez la farine et la levure et mélangez bien. Ajoutez de l'eau tiède si nécessaire afin d'obtenir une pâte un peu épaisse.

Couvrez avec un linge et laissez lever 1 h.

Préparation des champignons

Ôtez le bout terreux des champignons et, avec une petite brosse, nettoyez-les en évitant de les passer directement sous l'eau. Essuyez-les avec un chiffon humide si nécessaire. Coupez-les en petits morceaux. Dans une grande poêle, faites chauffer l'huile à feu vif et jetez-y les champignons. Laissez mijoter jusqu'à ce qu'ils aient rejeté toute leur eau. Égouttez-les.

Faites cuire les blinis dans une ou plusieurs petites poêles pour gagner du temps et les maintenir au chaud.

Servez avec du beurre fondu et parsemez les champignons de persil et cerfeuil ciselés.

Blinis de sarrasin au flétan fumé

Pour 6 personnes

100 g de farine de sarrasin

165 g de farine de blé

1/2 sachet de levure de boulanger déshydraté

1/2 c. à. café de sel

3 œufs

50 cl de lait

5 cl de crème fleurette

Pour servir

6 belles tranches de flétan fumé

20 cl de crème fleurette

quelques brins d'aneth

Faites gonfler la levure dans un verre de lait tiède.

Mélangez les deux farines et le sel dans une terrine.

Rallongez la levure diluée avec le reste de lait et la crème fleurette tiédis. Incorporez à la farine tantôt un peu de ce mélange, tantôt un jaune d'œuf, jusqu'à épuisement des ingrédients. La pâte doit être lisse et fluide.

Couvrez et laissez lever dans un endroit chaud pendant 2 h.

Montez les blancs en neige assez souple pour qu'ils puissent s'incorporer à la pâte sans la faire retomber.

Faites cuire les blinis selon les indications données pour la recette de base, page 8.

Servez avec du flétan fumé et de la crème fleurette montée en chantilly et parfumée à l'aneth ciselé.

Pancakes aux courges

Pour 12 pancakes environ
200 g de chair de potiron
2 belles courgettes
3 œufs
40 g de farine
1 c. à café de levure chimique
quelques brins de ciboulette
quelques brins de cerfeuil
30 g de beurre
2 c. à soupe d'huile
noix de muscade
sel, poivre

Pour servir
œufs pochés
graines de courge

Coupez les deux extrémités des courgettes mais conservez leur peau. Râpez-les très finement, ainsi que la chair du potiron.

Exprimez le jus rendu par les légumes entre vos mains et mettez-les dans une terrine. Ajoutez les œufs, les herbes finement ciselées, le sel, le poivre, la noix de muscade et terminez par la farine et la levure. Mélangez bien.

Laissez reposer la pâte 30 min au frais.

Faites cuire les pancakes à feu doux, dans un mélange d'huile et de beurre et dans plusieurs petites poêles si possible, car la cuisson est un peu longue (3 min de chaque côté environ) ou dans une grande, dans laquelle vous déposerez côte à côte, 3 ou 4 portions de pâte. Retournez-les dès que vous pouvez les décoller avec une spatule et que la pâte est bien dorée. Laissez cuire encore pendant 5 à 7 min.

Servez avec des œufs pochés ou en guise de légumes, parsemez les pancakes de graines de courges.

Pancakes au maïs

Pour 12 pancakes environ

**1 petite boîte de maïs
en grains (250 g)**
200 g de farine
1 œuf
50 cl de lait
le jus d'1/2 citron
40 g de beurre fondu
1 c. à café de sel
1 c. à café de levure chimique

Pour servir

œufs brouillés
beurre fondu

Passez le maïs au mixer avec un peu de lait afin de le réduire en purée.

Mélangez la farine, le sel et la levure chimique dans une terrine.

Mélangez d'autre part le reste de lait et le jus de citron, puis l'œuf, le maïs mixé et le beurre fondu.

Versez ce mélange dans la terrine de farine et remuez jusqu'à l'obtention d'une pâte souple.

Laisser reposer 1 h à température ambiante.

Faites fondre un peu de beurre dans une petite poêle et versez-y une louche de pâte. Laissez cuire le pancake à feu modéré et, dès l'apparition de petites bulles à la surface, retournez-le avec une spatule. Poursuivez la cuisson jusqu'à ce que la pâte n'attache plus en dessous, signe qu'elle est cuite.

Servez tout simplement avec du beurre fondu ou des œufs brouillés.

Sucré

Crêpes dentelles

Pour 20 crêpes environ
250 g de farine
250 de sucre en poudre
4 œufs
75 cl de lait
60 g de beurre fondu
1 bonne pincée de sel
**essence de vanille
(facultatif)**

Dans une terrine, mélangez la farine, le sucre et le sel.

Fouettez les œufs ensemble et ajoutez le lait, le beurre fondu et l'essence de vanille.

Versez ce mélange dans la terrine et travaillez jusqu'à l'obtention d'une pâte fluide.

Graissez la crêpière bien chaude et versez-y une petite quantité de pâte. Répartissez-la rapidement sur toute la surface (voir trucs et astuces, page 4) et, dès que la crêpe commence à prendre couleur, roulez-la sur elle-même. Il faut agir rapidement sans avoir peur d'exposer ses doigts à la chaleur !

Laissez tiédir la crêpe si vous souhaitez la déguster entière ou, tant qu'elle est encore chaude, découpez-la en deux ou trois.

Conservez dans une boîte métallique à l'abri de l'humidité.

Crêpe aux pommes et au caramel au beurre salé

Par personne

**1 crêpe de froment
(voir recette de base p. 7)**

**1 petite pomme Reine des
reinettes**

30 g de beurre salé

**25 g de sucre (1 c. à soupe
bien pleine)**

Épluchez la pomme et coupez-la en lamelles.

Faites fondre 20 g de beurre dans une poêle à feu vif et jetez-y les lamelles de pommes. Saupoudrez de sucre et laissez cuire jusqu'à ce que les fruits soient bien caramélisés. Récupérez les lamelles de pommes et déglacez le fond de la poêle avec un demi-verre d'eau en grattant bien. Réservez.

Préparez la crêpe comme indiqué dans la recette de base et étalez dessus le reste de beurre. Disposez au centre les pommes caramélisées afin de les réchauffer.

Servez sans attendre.

Variante

Vous pouvez saupoudrer les pommes d'un voile de cannelle et déglacer la poêle avec du calvados.

Crêpes Suzette

**Pour 6/8 personnes
(18 crêpes moyennes)**

Pâte à crêpes sucrée

250 g de farine

3 œufs entiers

100 g de sucre

40 cl de lait

20 cl d'eau ou de cidre
ou de bière

60 g de beurre

1 bonne pincée de sel

un peu d'eau de fleur
d'oranger

Garniture

150 g de beurre extra-fin

150 g de sucre glace

le zeste finement râpé
d'une orange

10 cl de liqueur d'orange
(Cointreau, Grand-Marnier,
curaçao)

1 c. à soupe de sucre
en poudre

Confection de la pâte à crêpes sucrée

Faites fondre le beurre dans une petite casserole. Dans un bol, battez les œufs en omelette avec le sel. Mettez la farine et le sucre dans une terrine et creusez un puits au centre. Versez les œufs et le lait et mélangez au fouet pour amalgamer soigneusement les ingrédients. Allongez la pâte avec le reste de liquide — eau, cidre ou bière — et ajoutez le beurre fondu. Laissez reposer la pâte au moins 2 h au frais. Si, après avoir reposé, la pâte a épaissi, rallongez-la avec un peu de lait. Aromatisez cette pâte avec un peu d'eau de fleur d'oranger.

Confectionnez une vingtaine de crêpes très fines dans une poêle moyenne légèrement graissée. Empilez-les au fur et à mesure, ainsi, resteront-elles souples.

Préparation de la garniture

Râpez très finement le zeste de l'orange et mélangez-le au beurre mou, au sucre glace et à 1 c. à soupe de liqueur.

Étalez une mince couche de crème sur chaque crêpe, pliez-les en triangle et rangez-les en éventail dans un plat allant au four. Faites réchauffer les crêpes dans le four à 100 °C (th. 2/3) durant 10 min, avant de servir.

Apportez les crêpes à table, saupoudrez-les de sucre en poudre et versez la liqueur tiédie. Enflammez et arrosez régulièrement jusqu'à l'extinction des flammes. Servez aussitôt.

Variante

Vous pouvez remplacer l'orange par une mandarine et la liqueur par de la Mandarine Impériale.

Crêpes russes farcies au fromage blanc

Pour 6 personnes

Pâte à crêpes sucrée

160 g de farine

2 œufs entiers

60 g de sucre

20 cl de lait

20 cl d'eau ou de cidre ou de bière

40 g de beurre

1 bonne pincée de sel

1 c. à café d'essence de vanille

Garniture

1 Saint-Florentin (ou 200 g de fromage blanc en faisselle, bien égoutté)

2 jaunes d'œufs

120 g de sucre

75 g de fruits confits coupés en petits dés

50 g d'amandes effilées

3 c. à soupe de crème fraîche

1 gousse de vanille

Confectionnez une dizaine de crêpes en suivant la recette page 36.

Fouettez les jaunes d'œufs et 75 g de sucre jusqu'à ce que le mélange prenne une teinte pâle. Ajoutez le fromage blanc et l'intérieur gratté de la gousse de vanille.

Incorporez délicatement, pour ne pas les briser, les fruits confits et les amandes effilées.

Préchauffez le four à 180 °C (th. 6).

Fourrez les crêpes du mélange aux fruits confits et aux amandes en étalant un peu de farce et en les repliant en forme d'éventail.

Disposez-les dans un plat beurré et nappez-les de crème fraîche. Saupoudrez avec le reste de sucre et mettez dans le four chaud. Laissez caraméliser 20 à 30 min.

Servez tiède ou froid.

Gâteau de crêpes au citron

Pour 6/8 personnes

Pâte à crêpes sucrée

160 g de farine

2 œufs entiers

60 g de sucre

30 cl de lait + 10 cl d'eau
ou de cidre ou de bière

40 g de beurre

1 bonne pincée de sel

le zeste d'un citron
finement râpé

Crème au citron

3 œufs

3 citrons

200 g de sucre

75 g de beurre

sucre glace

Pour servir

coulis de fruits rouges

Confectionnez une quinzaine de crêpes assez fines avec la pâte (voir recette page 34).

Prélevez le zeste d'un seul citron et pressez les trois pour en récolter le jus.

Dans une casserole, faites chauffer à feu doux les œufs entiers, le sucre, les jus et le zeste, sans cesser de tourner. Le mélange épaissit et devient peu à peu crémeux. Ôtez du feu juste avant ébullition et passez au travers d'un tamis pour éliminer les zestes. Ajoutez le beurre coupé en petits morceaux dans la crème encore chaude et mélangez.

Beurrez un moule de même diamètre que les crêpes et préchauffez le four à 170 °C (th. 5/6).

Placez une première crêpe au fond du moule, étalez par-dessus une fine couche de crème au citron, recouvrez avec une seconde crêpe et ainsi de suite jusqu'à épuisement des ingrédients.

Faites cuire le gâteau à four modéré pendant 20 min environ.

Laissez refroidir avant de démouler.

Saupoudrez de sucre glace et servez avec un coulis de fruits rouges.

Crêpes soufflées à la poire

Pour 6 personnes

Pâte à crêpes sucrée
160 g de farine
2 œufs entiers
60 g de sucre
20 cl de lait
20 cl d'eau, de cidre
ou de bière
40 g de beurre
1 pincée de sel

Garniture
20 cl de lait
50 g de sucre en poudre
25 g de maïzena
20 g de beurre
4 œufs + 2 blancs
un peu d'eau-de-vie de
poire
2 poires mûres à point
30 g de sucre glace

Pour servir
coulis de fruits rouges

Confectionnez 6 crêpes de 20 cm de diamètre en suivant les indications données pour la recette page 36.

Diluez la fécule dans 3 c. à soupe de lait froid.

Portez à ébullition le reste de lait avec 20 g de sucre.

Mélangez la fécule délayée dans le lait encore chaud et remettez sur le feu. Sans cesser de fouetter, faites épaissir sans atteindre cependant le point d'ébullition.

Retirez du feu et incorporez les jaunes d'œufs et le beurre.

Montez les 6 blancs en neige très ferme en ajoutant le sucre restant à mi-parcours et incorporez délicatement le tout à la préparation refroidie. Ajoutez les poires coupées en petits dés et l'eau-de-vie de poire.

Préchauffez le four à 200 °C (th. 7).

Fourrez chaque crêpe avec un peu de la préparation et repliez-la en deux comme un chausson aux pommes.

Disposez les crêpes dans un plat, saupoudrez-les de sucre glace et mettez-les dans le four chaud pendant 5 min, le temps que l'appareil à soufflé gonfle.

Servez au sortir du four avec un coulis de fruits rouges.

Aumônières de crêpes au chocolat

Pour 6 personnes

Pâte à crêpes sucrée
160 g de farine

2 œufs entiers

60 g de sucre

20 cl de lait

20 cl d'eau ou de cidre
ou de bière

40 g de beurre

1 bonne pincée de sel

Garniture
200 g de chocolat riche
en cacao (au moins 70 %)

2 œufs

20 cl de crème fleurette

50 g d'amandes effilées
grillées

1 orange

30 g de sucre

Pour servir
crème anglaise

Préparation de la mousse au chocolat

Faites fondre le chocolat coupé en petits morceaux au four
à micro-ondes ou au bain-marie. Hors du feu, ajoutez
les jaunes d'œufs un à un.

Battez les blancs en neige et la crème fleurette en chantilly.
Ajoutez d'abord la crème puis les blancs d'œufs.
Réservez au frais pendant au moins 6 h.

Lavez soigneusement l'orange et essuyez-la.
À l'aide d'un économe, prélevez de longs rubans de zeste
et découpez chacun d'eux en lanières de 2 mm environ.
Faites-les confire pendant 10 min dans une petite casserole
avec le sucre et un peu d'eau.

Préparation des aumônières

Confectionnez 6 grandes crêpes et réservez-les au chaud
au-dessus d'une casserole d'eau bouillante.

Au centre de chaque crêpe, déposez une portion de mousse
au chocolat et refermez minutieusement l'aumônière avec
une lanière de zeste d'orange en essayant de ne pas la briser.
Renouvelez l'opération avec les 5 autres crêpes.

Parsemez d'amandes effilées et servez avec une crème anglaise.

À savoir

Il est préférable de préparer ce dessert au dernier moment.

Crépiau aux pommes

Pour 6 personnes

Pâte

3 œufs

200 g de farine

50 cl de lait

30 g de beurre
(2 c. à soupe)

50 g de sucre

1 pincée de sel

Garniture

3 pommes Reine des reinettes

90 g de sucre

1 petit verre de calvados

50 g de beurre

Confection de la pâte

Mélangez la farine, le sel, le beurre fondu et le lait aux œufs battus en omelette bien mousseuse.

Laissez reposer 30 min.

Préparation de la garniture

Épluchez les pommes et coupez-les en fines lamelles. Saupoudrez-les de 50 g de sucre en les secouant en tous sens pour quelles en soient bien imprégnées.

Faites fondre 25 g de beurre dans une poêle à revêtement anti-adhésif (si possible) et versez-y 2 louches de pâte.
Dès qu'elle est prise, recouvrez avec les lamelles de pommes et, peu après, avec le reste de pâte. Faites cuire à feu doux en secouant régulièrement pour que le fond n'attache pas. Retournez la crêpe sur une assiette et mettez le reste de beurre au fond de la poêle. Faites glisser la crêpe dans la poêle et poursuivez la cuisson jusqu'à ce que le fond soit bien doré.

Présentez sur un plat résistant à la chaleur.

Saupoudrez le crépiau de sucre et flambez-le avec le calvados chauffé au préalable.

Servez aussitôt, découpé en parts.

Pannequets à la confiture

**Pour 6 personnes
(12 pannequets
environ)**

Pâte à crêpes sucrée

160 g de farine

2 œufs entiers

60 g de sucre

40 cl de lait

40 g de beurre

1 goutte d'essence
d'amande amère

1 c. à café d'essence
de vanille

1 bonne pincée de sel

Garniture

450 g de confiture au choix,
assez épaisse cependant
(évitez les gelées)

30 g de sucre glace

Pour servir
salade de fruits

Confectionnez 12 crêpes sucrées, selon la recette page 36, et laissez-les refroidir.

Disposez 1 cuillerée de confiture au centre de chacune d'elles et repliez-les de façon à envelopper complètement la farce et lui donner une forme rectangulaire.

Rangez les pannequets côte à côte dans un plat allant au four et saupoudrez-les de sucre glace. Passez-les sous le gril préchauffé jusqu'à ce qu'ils prennent un joli glaçage.

Servez aussitôt avec de la salade de fruits.

Caprinettes

Pour 6 caprinettes
160 g de farine
80 g de semoule fine
2 œufs
250 g de chèvre frais
**60 cl de vin blanc
de Touraine**
**2 c. à soupe de beurre
fondu + un petit morceau
pour la cuisson**
1 pincée de sel

Pour servir
miel

Écrasez le fromage de chèvre à la fourchette.

Ajoutez les œufs et le beurre fondu et délayez avec la moitié du vin blanc.

Dans une terrine, mélangez la farine et le sel puis incorporez progressivement le mélange précédent. Allongez la pâte avec le reste de vin blanc et un peu d'eau, si nécessaire, pour qu'elle soit assez coulante.

Laissez reposer au moins 1 h.

Faites chauffer une poêle et graissez-la avec un peu de beurre. Versez-y une petite quantité de pâte et procédez comme pour des crêpes ordinaires.

Servez nature ou avec du miel.

Crêpes suédoises à la compote d'airelles

Pour 6 personnes

Pâte à crêpes sucrée

2 œufs

200 g de farine

50 cl de lait

2 c. à soupe de sucre

**1 c. à café d'essence
de vanille**

1 pincée de sel

Garniture

**400 g d'airelles fraîches,
en conserve ou surgelées**

100 g de sucre

beurre pour la cuisson

Pour servir

sucre glace

Confectionnez la compote d'airelles en les faisant cuire avec le sucre pendant 10 à 15 min jusqu'à ce que tout le jus soit évaporé.

Versez la farine, les 2 cuillerées de sucre et le sel dans une terrine. Creusez un trou au centre, cassez les œufs et versez-y le lait et l'essence de vanille. Incorporez petit à petit la farine en la ramenant vers le centre jusqu'à l'obtention d'une pâte lisse et fluide.

Faites fondre une petite quantité de beurre dans une poêle et versez-y une petite louche de pâte. Laissez cuire 1 à 2 min et retournez la crêpe. La cuisson des 2 côtés doit s'effectuer assez rapidement pour que les crêpes restent moelleuses.

Empilez-les sur une assiette au fur et à mesure et maintenez-les au chaud sous un papier aluminium dans le four à 80 °C (th. 1/2).

Servez les crêpes au sortir du four, fourrées de compote et saupoudrées de sucre glace.

Bouquettes liégeoises aux raisins de Bertha

Pour 10 bouquettes environ
125 g de farine de sarrasin
125 g de farine de blé
1 œuf
1/2 sachet de levure de boulanger déshydratée
1/2 c. à café de cannelle
60 g de raisins secs
1 bonne pincée de sel

Pour servir
cassonade

Faites gonfler la levure dans un verre d'eau tiède.

Dans une terrine, réunissez les 2 farines, la cannelle et le sel. Versez la levure et l'œuf puis mélangez pour obtenir une pâte homogène. Rallongez avec un peu d'eau tiède jusqu'à l'obtention d'une pâte lisse et coulante et ajoutez les raisins en dernier lieu.

Couvrez la pâte et laissez-la lever à l'abri des courants d'air jusqu'à ce que les raisins remontent à la surface.

Faites cuire les bouquettes dans une poêle moyenne beurrée en les faisant sauter pour les retourner.

Servez avec de la cassonade.

Banana pancakes comme à Goa

Pour 4 personnes
125 g de farine
1 c. à café de levure
1 sachet de sucre vanillé
1 œuf
10 cl de lait
15 cl de lait de coco
2 c. à soupe de rhum
50 g de sucre roux
2 petites bananes
noix de coco râpée
beurre pour la cuisson

Dans une terrine, mélangez la farine, le sucre vanillé et la levure.

Battez l'œuf, le lait de coco et le lait dans un grand bol. Parfumez avec le rhum.

Versez la préparation liquide dans la terrine contenant la farine et mélangez vigoureusement pour obtenir une pâte souple et lisse. Laissez-la reposer 30 min à température ambiante.

Épluchez et coupez les bananes en rondelles.

Faites fondre un peu de beurre dans une poêle moyenne et versez-y une louche de pâte (le quart de la préparation). Laissez cuire le pancake à feu modéré et, dès l'apparition de petites bulles à la surface, retournez-le avec une spatule. Répartissez des tranches de bananes dessus et saupoudrez de sucre roux et de noix de coco râpée. Poursuivez la cuisson jusqu'à ce que la pâte n'attache plus en dessous, signe qu'elle est cuite.

Repliez le pancake en portefeuille et servez aussitôt.

À savoir
Il faut utiliser des bananes mûres à point et bien parfumées.

Pancakes aux pommes

Pour 6 à 8 pancakes
2 pommes (Reine des reinettes de préférence)
150 g de farine
3 œufs
20 cl de lait
1 c. à soupe de sucre
1 pincée de sel
1/2 c. à café de cannelle
1/2 c. à café de levure chimique
**40 g de beurre
et un peu pour la cuisson**

Pour servir
sucre glace ou lard fumé

Battez les œufs en omelette et ajoutez le lait.

Mélangez la farine, le sucre, le sel, la cannelle et la levure dans une terrine. Versez-y le mélange œufs-lait et fouettez vigoureusement jusqu'à l'obtention d'une pâte lisse.

Tenez au frais.

Épluchez et coupez les pommes en fines lamelles.

Faites fondre un peu de beurre dans une poêle et faites-y dorer quelques quartiers de pomme. Dès qu'ils sont cuits, versez un peu de pâte par-dessus et laissez cuire jusqu'à ce qu'elle se fige et laisse apparaître de petites bulles. Retournez le pancake avec une spatule et poursuivez la cuisson 1 à 2 min.

Servez chaud, saupoudré de sucre glace ou, plus audacieusement, avec une tranche de lard fumé.

Pancakes au yaourt et aux myrtilles

Pour 6 à 8 pancakes
200 g de farine
150 g de myrtilles fraîches
1 œuf
1 c. à soupe de sucre en poudre
50 g de beurre fondu et un peu
pour la cuisson
1 yaourt
10 cl d'eau
1 c. à café de levure chimique
1 pincée de sel

Pour servir
crème fouettée

Mélangez la farine, le sel, le sucre et la levure dans une terrine.

Dans une autre terrine, battez les œufs avec le yaourt et le beurre fondu. Lorsque la préparation est homogène, allongez-la avec l'eau.

Versez ce mélange dans la terrine contenant la farine jusqu'à l'obtention d'une pâte lisse.

Incorporez les myrtilles sans les écraser.

Laissez reposer la pâte pendant 1 h.

Faites fondre un peu de beurre dans une petite poêle et versez-y une petite louche de pâte. Laissez cuire le pancake à feu modéré et, dès l'apparition de petites bulles à la surface, retournez-le avec une spatule. Laissez cuire encore jusqu'à ce que la pâte n'attache plus en dessous, signe qu'elle est cuite.

Servez bien chaud avec de la crème fouettée.

Spicy pancakes

Pour 6 à 8 pancakes
250 g de farine complète

100 g de sucre roux

100 g de cerneaux de noix de pécan finement hachés

2 œufs

60 cl de lait

25 g de beurre fondu et un peu pour la cuisson

1/2 c. à café de sel

1 c. à café de levure chimique

noix de muscade râpée

cannelle en poudre

Pour servir
sirop d'érable

Mettez la farine, les noix, le sel, le sucre roux, les épices et la levure dans une grande terrine. Mélangez intimement.

D'autre part, battez les œufs en omelette avec le beurre fondu. Ajoutez progressivement le lait.

Mélangez soigneusement le contenu des deux terrines et laissez reposer la pâte 1 h.

Faites cuire comme les pancakes classiques, selon la recette de base page 9.

Dégustez bien chaud avec du sirop d'érable.

Blinis au cacao, glace aux marrons glacés

Pour 6 personnes

250 g de farine de blé

100 g de farine de sarrasin

50 g de cacao amer

1 sachet de levure
de boulanger déshydratée

1 pincée de sel

2 c. à café de sucre en
poudre

3 œufs

50 cl de lait

50 g de beurre fondu et un
peu pour la cuisson

15 cl de crème fleurette

Pour servir

1 litre de glace aux marrons
glacés

100 g de chocolat amer et
30 cl de lait pour la sauce
au chocolat

Faites gonfler la levure dans un verre de lait tiède.

Mélangez les 2 farines avec le cacao, le sel et le sucre
dans une terrine.

Rallongez la levure diluée avec le reste de lait et de crème
fleurette tiédis.

Dans la terrine, incorporez tantôt un peu de ce mélange, tantôt
un jaune d'œuf, jusqu'à épuisement des ingrédients.
La pâte doit être lisse et fluide.

Couvrez et laissez lever dans un endroit chaud pendant 1 h.

Montez les blancs en neige assez souple pour qu'ils puissent
s'incorporer à la pâte sans la faire retomber. Ajoutez enfin
le beurre fondu et laissez reposer encore 30 min.

Pendant ce temps, confectionnez la sauce au chocolat en faisant
fondre la tablette coupée en petits morceaux dans le lait chaud.
Lissez à la spatule et réservez au chaud.

Faites cuire les blinis en suivant les indications données
pour la recette de base page 8 et maintenez-les au chaud
dans le four, enveloppés de papier aluminium.

Formez des boules de glace aux marrons glacés et disposez-en
1 ou 2 sur chaque assiette. Ne sortez les blinis qu'au dernier
moment afin qu'ils n'aient pas le temps de refroidir.

Servez le dessert nappé de sauce au chocolat.

Shopping
Blanc d'Ivoire, Le Bon Marché et, tout spécialement,
un grand merci à L'Heure Bleue.

Special thanks à François,
qui a tenu la casserole enflammée
des crêpes Suzette.

Ce livre est dédié à mes deux grands-mères,
Simone et Thérèse.

© Marabout 2003
Texte et stylisme : Camille Le Foll
Photographies : Akiko Ida
Édition : Muriel Vandeventer

Photogravure : Euresys
ISBN : 978-2-501-03966-6
Dépôt légal : n° 84265 - février 2007
Édition n° 07

Achevé d'imprimer en France par Pollina - L42549